COMO ESCOGER LA
ECU
PERFECTA
para tu motor

NORMAN PAULINO DE ALPHAX

Como escoger la ECU perfecta para tu motor

Una guia para comenzar a explorar el mundo de las ECU de motores de combustión interna

Norman Paulino de AlphaX

El autor de este libro, Norman Paulino, conocido como Norman AlphaSpeed, se ha enfocado por más de 10 años en el ámbito automovilístico, y lleva varios de estos años en el estudio y desarrollo de productos electrónicos de automóviles bajo su compañía AlphaX. Gracias a esta experiencia previamente mencionada, Norman ha escrito este libro para poder informar a todo aquel que este interesado así escribiendo este libro en su mayoría para ayudar e informar a la gente que está en búsqueda de expandir el conocimiento sobre el proceso de decisión que él toma al momento de recomendar una ECU, y los muchos factores que hay que considerar al momento de hacer dicha recomendación.

Contenido

#07

#08

#09

#01

Introduccion

Bienvenidas a este libro donde aprenderemos la información necesaria para estar preparado al momento de trabajar con la ECU (Engine Control Unit por sus siglas en inglés) de su vehículo de motor! No importa si eres un entusiasta comenzando en el tema de las ECU, o un profesional buscando como proveer información más relevante a sus clientes, este libro le ayudará a poder tener todo en consideración al momento de comprar o vender una computadora! El propósito de este libro es que con plena confianza pueda comprar una ECU para su vehículo de motor, sabiendo que no va a tener que continuar cambiando de producto al pasar el tiempo. ¡Esperamos que la información provista aquí sea de utilidad para su conocimiento!.

#02

Terminologia comun en las computadoras de motores

- ECU: engine control unit - las siglas en inglés para "unidad de control de motor", típicamente se refiere a una computadora pequeña especializada al control de dichos motores.

AlphaECU 4chan

- Aftermarket: mercado de posventa - indica que el producto del que se habla no ha sido producido ni sancionado por la compañía que creo que producto original, por ejemplo, si se le instala una AlphaECU a un Toyota Corolla, se le está instalando una computadora aftermarket (AlphaECU) a un producto original de otra compañía (Toyota Corolla).

Una entrada recibe informacion

- Pin: conector - Un punto físico donde se puede convector algo.

- Entrada - Un pin que puede recibir información de un sensor, o sea, la información va en dirección hacia la ECU.

- Salida - Un pin que envía información de alguna manera, sea enviando un voltaje o proveyendo un camino de tierra.

- CANBUS: Controller Area Network BUS - Un protocolo de comunicación que se usa en muchos vehículos recientes (cerca del 2003 en adelante) para llevar y traer data de varios módulos, para asi poder recoger la cableria de un carro, ya que no hay que tirar un cable individual para cada entrada o salida que se usaría.

Una salida controla algo

- VVT: Variable valve timing - control de tiempo variable de levas - un sistema que se usa para poder variar el tiempo de leva en motores.

■ Throttle (valvula de admision) electrónico - una válvula de admisión que antes solía ser controlada por un cable directo al acelerador, que ahora que tenemos la tecnología para controlarlo con algunas ECUs.

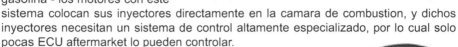

La comunicacion CANBUS es bidireccional

■ GDI: Gasoline Direct Injection - Inyección directa de gasolina - los motores con este sistema colocan sus inyectores directamente en la camara de combustion, y dichos inyectores necesitan un sistema de control altamente especializado, por lo cual solo pocas ECU aftermarket lo pueden controlar.

■ Instalación compartida/paralela - metodo de instalacion donde se comparten y se dividen las funciones entre las ECU original y la aftermarket, modificando la cableria del motor.

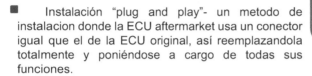

■ Instalación "plug and play"- un metodo de instalacion donde la ECU aftermarket usa un conector igual que el de la ECU original, así reemplazandola totalmente y poniéndose a cargo de todas sus funciones.

MicroSquirt con rabiza para paralelo

■ Instalación "standalone" - un método de instalación que se remueve toda la cableria original del motor, y se instala una cableria nueva con conectores hechos para la ECU aftermarket.

■ ECU DIY - un tipo de ECU aftermarket que el usuario tiene que ensamblar todos los componentes electrónicos dentro de ella, lo que a veces produce un costo más bajo al momento de compra, a cambio de un proceso de instalación mas largo.

LinkECU Plug and Play de Mini R53

■ Speed Density - Una manera de calcular el aire que entra a un motor usando matemáticas y la lectura de MAP y el IATaa.

■ MAP sensor - sensor de presion absoluta que detecta la presión en la admision.

■ TPS - sensor de posicion de mariposa, usado para detectar la posición de la mariposa.

■ IAT - sensor de temperatura del aire en la admisión.

■ CKP - Crank position sensor - detectan la posicion actual del cigüeñal.

Haltech Elite con rabiza standalone

■ CMP - Cam position sensor - detecta la posición actual de un arbol de levas.

#03

Computadora "aftermarket", o reprogramación (de la computadora original)?

Siempre al momento que se empieza a modificar un vehículo de motor, se llega al punto de tener que recalibrar los parámetros de operación para entonces aprovechar de todos las modificaciones que se le pueden hacer a un motor de combustión interna, pero siempre hay una pregunta crítica; necesito una programación a mi computadora original, o necesito una computadora programable? que me ofrece cada una? Hablemos primero de:

a. Reprogramacion

Una reprogramación a la ECU original de un motor típicamente se ajusta muy bien a modificaciones que caigan dentro del entorno del comportamiento del motor de fábrica. ¿Qué quiere decir esto? Esto quiere decir que el motor todavía tenga piezas basadas en las de fábrica, como lo es una admisión con filtro aftermarket, un escape agrandado (pero con el mismo

Tactrix Openport 2.0

recorrido que de fábrica), o una turbina modificada basada en la que el motor trae. Las computadoras originales ya vienen con una programación que funciona en conjunto con todos los auxiliares que trae el motor, así que para modificaciones simples típicamente resulta muy costo efectivo solo alterar las tablas pertinentes. Ahora, el problema con esto es que para poder alterar los modos de operación de la computadora original, es que el programador necesita entender a la perfección el metodo de operacion de la computadora, informacion que muy pocas veces esta

HPTuners MPVI2

disponible al público (ya que al fabricante de la ECU normalmente no le interesa que alguien que no es cliente directo de ellos tenga la habilidad de reprogramarse) y de estarla, tiene un costo muy prohibitivo, lo cual resulta en que solo puedan haber una cantidad muy pequeña de gente que las entienda y las programe bien. En el mundo de las reprogramaciones hay varias herramientas para facilitar la lectura y escritura de ellas como los son Bitbox, PCMFlash, Autotuner, KESS, KTAG, MagicMotorsport entre muchos mas, pero como mencionado, a veces tienen unos costos (ambos monetarios y de tiempo) muy prohibitivos. Ahora, una persona que ya tenga dichas herramientas y conocimiento (como AlphaSpeed) le puede proveer un servicio de programacion a un costo menor que el que

LinkECU XtremeX

sería el de instalar una ECU aftermarket y después programar, así que si su motor no tiene modificaciones grandes (usualmente, una buena medida es que produzco no más de de dos veces (2x) su potencia original), usualmente se puede hacer un buen trabajo que es muy costo-efectivo.

b. Computadora aftermarket

Las computadoras aftermarket son computadoras que no necesariamente están diseñadas para un motor en especifico, sino que están diseñadas para ser utilizadas en un motor de combustión interna con cualquier modificación, asi proveyendo al programador (sea el dueño del carro o un programador profesional) las herramientas y la

Haltech Elite 550

data necesaria para poder optimizar la operación del motor con cualquier modificación que tenga. Típicamente, las computadoras aftermarket traen manuales de usuario que explican cada función interna al detalle, para que así el programador sepa exactamente qué son las cosas que tiene que ajustar para optimizar el funcionamiento de dicho motor. Otra cosa que también es un detalle sumamente importante es que las ECU aftermarket permiten añadir nuevas capacidades a el motor o vehículo que normalmente no se puede con una ECU original. Cosas como lo son el "Two-step", un método de "traction control" avanzado y customizable, cosas como "map-switching" que permite al usuario a poder completamente cambiar el funcionamiento del motor usando un botón o ajustador para así poder tener diferentes modos de operación sin tener que reprogramar la ECU, solo activando esta función. Otra ventaja más, típicamente pueden operar de una manera diferente a las originales, por ejemplo en los carros que usan un "MAF" o "flowmeter", una ECU aftermarket te

AlphaECU 2chan

permite removerlo y convertirlo a "Speed Density". Normalmente, se necesita una ECU aftermarket cuando el carro produce dos veces (2x) o más de su potencia original, ya que las computadoras originales tienen todo el entorno original del carro programado, y cambiar dicha programación a veces resulta ser no muy costo-efectivo porque coge un larguísimo tiempo, asumiendo que sea posible.

#04

¿Qué necesito saber para escoger mi ECU?

Para comenzar el proceso de escoger una ECU debemos primero saber para qué motor (y en qué vehículo, si está en un vehículo de motor de combustión interna) estamos buscando la ECU, y para eso tenemos varias preguntas claves. La primera pregunta es:

a. ¿De qué año es mi vehículo, o el motor?

Con saber el año de fabricación del motor, podemos tener una leve idea de las tecnologías presentes al momento que se creó, para así saber que hay que controlar y que no. Aquí dejamos una guia de varias tecnologías comunes dependiendo de los años de manufactura de un motor:

I. 1970's y anterior:

Chevrolet 350 con distribuidor y carburador

Motores típicamente equipados con un carburador, un distribuidor de chispa con avance por vacío, mayormente controlado mecánicamente con tornillos de ajuste y auxiliares parecidos. No usa sensores, solo un "pickup coil" para tener un marco de referencia para disparar la bobina. Para hacerlos programables usualmente hay que hacer varias conversiones a estos sistemas, utilizando dos canales de inyección y uno de ignición (dos inyectores de mariposa, una bobina controlada con transistor).

II. 1980s:

Motor Toyota 3T con su distribuidor

Motores típicamente equipados con un sistema de inyección en la mariposa de admisión (uno o dos canales de inyeccion), un distribuidor de chispa con bobina controlada electrónicamente (un canal de ignicion), valvula de baja simple de dos estados (una salida). Usualmente usan sensores de MAP de poco rango, TPS a veces de dos estados (acelerado y no-acelerado), y pueden usar un pickup coil cómo pueden usar CKP/CMP. Varios auxiliares controlados con relé (como abanico de radiador y bomba de gasolina), los cuales usan una salida cada uno.

III.   1990s:

Típicamente usan un inyector por cilindro (misma cantidad de salidas de inyección que de cilindros), a veces usan distribuidor electronico (una salida, muchos Honda, Toyota y Mitsubishi antes del 1997), o bobinas doble (usa mitad de las bobinas que la cantidad de cilindros, como lo hace el 4G63 de Mitsubishi o el 5SFE de Toyota), y en pocos casos, bobinas individuales (una salida de ignición por cilindro). Usan

Motor Mitsubishi 4G63T con sus doble bobinas

válvulas de baja PWM para regular el ralenti, solenoides PWM para regular el "boost" de un turbo.

IV.   2000s:

Ya todos usan un inyector por cilindro (una salida recomendada por cilindro), bobinas doble o individuales por cilindro (o ½ o 1 salida por cilindro), VVT (una salida necesaria por cada árbol que tenga VVT), válvula de baja PWM o throttle electronico (salida especializada en el

Nissan VQ35 con VVT

caso del throttle electronico), y empiezan a tener CANBUS para comunicación con el despliegue de información al chofer (el "dash", otra salida especializada).

V.   2010s:

Una salida de inyección por cilindro o GDI (si es GDI, necesita salidas especializadas), una bobina por cilindro (una salida necesaria por cilindro), un VVT por arbol de leva (ejemplo, un motor en V con las cuatro levas VVT usa 4 salidas para el VVT, y cuatro entradas de CMP), CANBUS para múltiples sistemas como el A/C, Dashboard, ABS y sistema de control de tracción.

Ford Coyote con quad VVT y throttle electronico

#05

¿Cuánto quiero aprender de electrónica?

a. DIY

¿Te interesa aprender cómo funciona una ECU por dentro? Entonces necesitas una ECU que venga para uno construir uno mismo, como cualquiera de las Megasquirt1/2/3 v2.2 o v3.0, o cualquiera de los sabores de Speeduino como lo son las AlphaECU Starter o la NO2C de WTMtronics. Estas computadoras están diseñadas para ser construidas por el usuario mismo con un cautin y estaño, y por tal razón, usualmente son más baratas. Por estas razones, si uno está interesado en aprender de los componentes dentro de una ECU y cómo controlar un motor, son una buena opción.

WTMtronic NO2C para ensamblaje a mano

b. Ensamblada

Ahora, en el mercado de las computadoras ya ensambladas hay muchas opciones, por lo que necesitamos saber exactamente que necesitamos controlar, ya que no tenemos la libertad de añadir/quitar componentes a la hora de recibirla. Al final de este libro, hay una tabla de comparación en muchísimos modelos de ECU de diferentes compañías como Haltech, LinkECU, AlphaX, Fueltech, Megasquirt, AEM, MaxxECU, Racetec, Microtech, para su referencia, indicando para qué funcionan y sus habilidades.

LinkECU MonsoonX

#06

Cómo instalo mi ECU?

Una ECU es capaz de controlar muchas cosas, pero que necesito al momento de tomar una decisión? Lo más importante para hacer esta decisión es decidir si podrías modificar la cablería que ya tiene el motor o no, ya que esto dicta las capacidades necesarias de la ECU aftermarket que se instalará.

a. Paralelo

Si solo necesitas control de, por ejemplo, los inyectores (para modificar cuanta gasolina se inyecta en cualquier momento) y/o las bobinas (para poder controlar cuando se dispara la chispa de ignición), así siendo instalada en paralelo y dejando el resto de las funciones a la ECU original. Este tipo de instalación no es posible de forma "standalone" (ya que ser "standalone" implica que la rabiza será completamente reemplazada), y muy difícil de manera "plug and play", ya que los conectores originales de la ECU no son fáciles de encontrar la mayoria del tiempo, y por esta razón es muy costoso producir un "patch harness" (un mazo de cableado que conecte a ambas con sus conectores), así que la mayoría del tiempo solo se modifica la cableria original, cortando y soldando cables para completar la instalación.

Las ventajas de esta manera de instalación es que no es necesario escoger una ECU de muy alto costo, ya que muchos componentes todavía se pueden controlar por la ECU original, y asi solo ajustar lo necesario para que el motor funcione a la perfección con todas las modificaciones hechas con una necesidad de canales de entrada/salida bajo. Ahora, la desventaja mayor es que se modifica la cablería del motor original, lo cual puede ocasionar fallas y que depende mucho en la calidad del trabajo del instalador que realiza la instalación.

b. Plug and play

Ahora, si no desea pasar demasiado trabajo, para algunos motores vienen opciones "plug and play", lo cual indica que la ECU aftermarket usa los mismos conectores que la ECU original, y así toma control de todo el sistema original y lo implementa de su manera. Esto permite una facilidad al momento de instalar, pero viene con varias desventajas, como tener que depender de una cablería que en algunos casos está algo vieja y desgastada (cosa que puede causar problemas). Otra leve desventaja es que al controlar todos los sistemas de fabrica, es crítico programarlos correctamente, ya que una falla de programación en un sistema como lo es el CANBUS puede ocasionar que el motor funcione de una manera no esperada, o un sistema ancillary falle (como el aire acondicionado). Aunque tienen estas desventajas, una ECU plug and play ofrece una conveniencia significativa ya que la instalación es muy fácil, ofrecen todas las ventajas de una ECU aftermarket, y se puede volver a la original si tener que hacer alguna modificación.

C. Standalone

Esta manera de instalación ofrece el tipo de instalación mas limpia (subjetivamente), ya que se puede usar la oportunidad para esconder el mazo de cables nuevo, y usar materiales de calidad mejor y más nueva que la original. Para carros con cablerias ya desgastadas, o para carros con motores que no son de ellos, esta es la mejor manera de instalación. Ahora, la desventaja obvia es que es trabajoso remover el mazo de cables completo original, para después poner otro en su lugar, además de que estas cablerias pre-hechas también son algo costosas.

#07

Preguntas guías al momento de comprar

a. ¿Cuántos canales de inyección necesito?

Típicamente, uno debería siempre tener una ECU con la misma cantidad de salidas de inyección que inyectores, o sea, si tiene 4 cilindros y 4 inyectores, debería tener una ECU con 4 salidas de inyección para el mejor funcionamiento posible. Ahora, es posible en muchas computadoras poner dos o hasta cuatro inyectores por canal de inyección, pero esto entonces causa una pérdida en precisión al momento de inyección, ya que los momentos de inyección son compartidos. Esto puede ocasionar que en instantes, el control de ralentí sea un poco problemático, ya que con inyectores de un tamaño muy grande, es difícil inyectar la cantidad de gasolina necesaria. Salidas individuales por cilindro nos permiten disparar inyectores en secuencia perfecta con los eventos de admisión.

b. ¿Cuántos canales de ignición necesito?

En cuanto a los canales de ignición, una ECU debería al igual que los inyectores, tener un canal por bobina. Carros con un distribuidor, al usar solo una bobina, pues solo necesitan un canal (Mitsubishi Mirage 1.5L, Toyota Tercel 3EFE, Chevrolet Camaro 1985, etc). Carros con bobinas doble pues necesitan un canal por cada dos cilindros (Mitsubishi Eclipse 4G63/420A, Hyundai Tiburon, Ford Mustang 4.6 97-98, etc), y pues finalmente, carros con una bobina por cilindro necesitan una salida para cada bobina (Mitsubishi Evolution X, Hyundai Genesis, Ford Mustang 99+).

C. ¿Cuántas entradas necesito?

Todas las ECU tienen entradas básicas, como lo son CKP, CMP, TPS, IAT, CLT, así que si ves una computadora ofreciendo estas entradas solamente, puedes deducir que solo tienes lo básico para correr un motor, por lo que es importante tener en consideración si quieres tener lectura de un reloj análogo "wideband" para corregir la mezcla de aire/gasolina, algún tipo de sensor de posición del "clutch" (embrague) para así facilitar las funciones de Two-Step, o algun "switch" (interruptor) que se usará para "map switching", así que si no tiene una buena cantidad de entradas, posiblemente tenga que sacrificar una o más de estas funciones para poder tener el funcionamiento del motor completo. Por ejemplo, una ECU con 7 entradas combinadas digitales/análogas tiene que usar 3 para TPS/CLT/IAT (asumiendo que tiene el MAP integrado en la ECU, si no serían 4), dejando así solo 4 entradas adicionales. Esto quiere decir que si decide monitorear presión de aceite, presión de gasolina, un wideband y un sensor de posición de embrague, ya no le quedan más entradas para cosas como velocidad de goma o árboles de leva adicionales.

d. ¿Cuántas salidas de propósito general necesito?

Las salidas típicamente se usan para controlar válvulas por PWM, relés (que entonces pueden prender bombas de gasolina o metanol, abanicos de radiador), tacómetros, y otras cosas que funcionen por tierra (o 12v). Dependiendo en cuantas cosas uno quiere controlar, es la cantidad de salidas que vas a usar, así que si por ejemplo tenemos una ECU con 10 "salidas", pero 6 son de tierra y 4 son de 5v, asumiendo que instalemos la ECU para operar 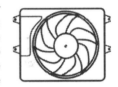 secuencialmente una carro 4 cilindros, entonces 4 salidas se usan para inyeccion, 4 para ignición, entonces solo nos sobran 2 salidas mas, las cuales si queremos controlar digamos, un abanico, un solenoide de boost y una bomba de gasolina, nos quedamos sin salidas disponibles y todavia no podríamos conectar uno de los dispositivos. Si ponemos ignición a disparar semi-secuencialmente, ganamos dos salidas de 5v que no podemos usar sin condicionar primero, lo cual entonces nos obliga a operar la inyección en modo semi-secuencial, que como ya explicamos, crea algunos problemas al momento de calibrar. Tambien, en muchos casos, las salidas de ignición e inyección que no se usen pueden ser usadas como salidas de propósito general.

e. Necesito control de throttle electronico (valvula de admision electrónica)?

Los throttle electrónico han sido mas y mas implementados en la última década, por lo que resulta que muchos carros ahora lo usan, y controlarlo puede ofrecer varias ventajas significativas al momento de usar una ECU aftermarket, como lo es cambiar la respuesta del pedal a un modo completamente personalizado, varias su funcionamiento con el map switching, e inclusive implementar un modo de traction control. Ahora, en un modo de instalación paralelo, es posible dejar el control a la ECU original, pero se pierde la habilidad de poder customizar la respuesta, entre las otras cosas mencionadas.

f. ¿Necesito control del CANBUS?

El control de esta red de comunicación en carro recientes es algo crucial, ya que sin esto, el "dash" de los carros no provee ninguna información, y a veces hasta sistemas criticos de control de traccion y seguridad pueden fallar, ya que no saben la condición actual de motor. Si es una instalación en paralelo, esto típicamente no ocurre, pero una instalación Standalone o Plug and Play, es crítico retener el funcionamiento de todos los sistemas, algo que solo nos permite el CANBUS.

g. ¿Necesito control de sistema GDI?

Los motores con sistemas GDI son sumamente nuevos, por lo que hay solo pocas computadoras con la capacidad de controlarlo. Si tiene un auto así, tiene que estar preparado para un costo algo significativo, ya que controlar estos sistemas es tecnología de vanguardia. Ahora, también, si se instala en paralelo con unos inyectores adicionales pero de inyección indirecta, puede coger control de ellos y la chispa para así poder lograr un control satisfactorio del motor, aunque la ECU stock esté controlando los GDI. Esto se debe a que la ECU stock proveería la gasolina que puede por los GDI, y entonces la ECU aftermarket se encarga de proveer la gasolina adicional, más controlar propiamente la chispa.

#08

El momento de programar

Al momento de programar un vehículo, uno se enfrenta con varias opciones, ¿lo llevo a un programador o lo programo yo mismo? Exploremos.

a. Programador profesional

Al escoger hacer la programación con un programador dedicado a la programacion de ECU aftermarket, también tiene que considerar si este programador tiene experiencia con dicha ECU. Muchos programadores se especializan en una marca de ECU, ya que todas tienen maneras algo diferentes de expresar la misma idea. Siempre al momento de  escoger una ECU para llevarsela a un programador, es bueno cerciorarse con el mismo sobre si tiene alguna preferencia.

b. Lo quiero hacer yo!

Una opción muy válida, si le interesa aprender sobre este mundo. La mejor manera de aprender sobre el mundo de las programaciones y el funcionamiento de un motor es consiguiendo una ECU aftermarket de su preferencia, instalando y aprendiendo poco a poco, para la cual estaremos  ofreciendo varios libros como este mismo explicando cada parte de la programación al detalle, para así poder abarcar este gran mundo. Si quieres aprender del proceso, sabes que nos tienes para el apoyo con AlphaX, además de muchos recursos gratuitos que ya hay en la gran herramienta conocida como el internet!

#09

Conclusiones

Enhorabuena! Si llegaste aquí quiere decir que ya estás listo para hacer una compra informada de tu ECU en tu mercado favorito! Ahora sabemos que para la operación óptima de un motor, necesitamos la misma cantidad de canales de inyección que inyectores presente, la misma cantidad de canales ignición que bovinas presentes, y la importancia de tener suficientes entradas/salidas para así poder controlar todo lo que uno desea, y poder añadirle funciones a tu motor que aún no se pensaban posibles! También aprendimos de algunos detalles de los sistemas nuevos como el CANBUS, el GDI, los Throttle Electronicos y el VVT. Vimos las diferentes maneras que se puede instalar una ECU, sea paralelo, plug and play o standalone, y los beneficios de cada manera.

Pronto, estaremos expandiendo nuestra selección de libros y artículos sobre diferentes temas al detalle! ¿Quieres saber como propiamente calibrar la gasolina de tu motor? O quieres aprender exactamente como el CANBUS se comunica con los componentes? Pronto tendremos detalles de cada uno, así que esperamos que este libro le haya servido para poder empezar su proyecto y encaminarlo a la mejor decisión posible!

Adjunto al final de este libro esta un documento con los detalles de la mayoria de las ECU aftermarket que existen. Ya que muchas ECU pueden reasignar sus salidas de ignicion e inyeccion para usar como genericas, algunos numeros asumen que por lo menos 4 de cada una se usaran para sus funciones normales, lo cual resta al numero total de salidas.

"Parcial" indica apoyo parcial de CAN, ya que aunque tiene varios protocolos establecidos, no puede añadir un protocolo personalizado
*Indica que usando esta capacidad, se disminuyen la cantidad de salidas disponibles
**Aunque tiene las salidas necesarias para control secuencial, no puede ya que no tiene entrada de sensor de leva. ¯_(ツ)_/¯

Nombre	Canales de Inyeccion	Canales de Ignicion	Entradas	Salidas	Two Step/ Launch	Throttle Electronico	VVT	CANBUS?	GDI?	Diseñado en	Precio (USD/ MSRP)
Haltech										Australia	
Elite 550	4	4	8	5	Si	No	1	Parcial	No		$822
Elite 750	6	6	10	5	Si	No	1	Parcial	No		$1,120
Elite 950	8	4	10	5	Si	No	1	Parcial	No		$1,120
Elite 1000	4	4	19	10	Si	No	2	Parcial	No		$1,305
Elite 1500	4	4	19	12	Si	Si	4	Parcial	No		$1,495
Elite 2000	8	8	20	10	Si	No	2	Parcial	No		$1,571
Elite 2500	8	8	20	13	Si	Si	4	Parcial	No		$1,945
Nexus R5	18	12	40	36	Si	Si	4	Parcial	No		$4,109
LinkECU										Paises Bajos	
AtomX	4	4	10	4	No	No	No	Si	No		$765
MonsoonX	4	4	13	6	Si	No	2	Si	No		$985
StormX	8	8	23	8	Si	No	4	Si	No		$1,425
XtremeX	8	8	29	10	Si	Si	4	Si	No		$1,535
FuryX	8	6	29	10	Si	Si	4	Si	No		$1,750
Thunder	8	8	44	18	Si	Si	4	Si	No		$1,950
Force GDI	4	4	29	10	Si	Si	4	Si	Si		$1,950
AlphaECU										Puerto Rico/US	
2chan Neo	2	2	6	4	Si	No	1	Si	No		$349
4chan Neo	4	4	15	12	Si	Si	2	Si	No		$549
8chan Neo	8	8	24	18	Si	Si	4	Si	No		$849
FuelTech										Brazil	
FT450	4	4	7	2*	Si	No	2*	Parcial	No		$899
FT550	12	8	14	8*	Si	Si	4*	Si	No		$1,599
FT600	16	8	20	12*	Si	Si	4*	Si	No		$2,299
MegaSquirt										US	
Megasquirt1	2	2	5	3	Si	No	No	No	No		$99
Megasquirt2	4	4	5	3	Si	No	No	No	No		$515
Megasquirt3	8	8	8	6	Si	No	4	Si	No		$770
MicroSquirt	2	2	5	3	Si	No	No	No	No		$314
Speeduino										Australia	
v0.3	4	4	7	9	Si	No	1	No	No		$189
v0.4	4	4	7	9	Si	No	1	No	No		$209

Nombre	Canales de Inyeccion	Canales de Ignicion	Entradas	Salidas	Two Step/ Launch	Throttle Electronico	VVT	CANBUS?	GDI?	Diseñado en	Precio (USD/ MSRP)
WTMtronics										US	
NO2C	2	2	4	4	Si	No	1	No	No		$120
UA4C	4	4	10	12	Si	No	1	No	No		$350
rusEFI										Rusia/US	
microRusEFI	4	4	14	9	Si	Si	2	Si	No		$340
Proteus	8	12	24	16	Si	Si	4	Si	No		$590
AEM										US	
EMS4	4	4	9	8	No	No	1	Parcial	No		$650
Infiinity 3	8	8	16	10	Si	No	No	Parcial	No		$740
Infiinity 5	8	8	24	10	Si	Si	2	Parcial	No		$1,492
Infinity 7	8	8	39	14	Si	Si	4	Parcial	No		$2,505
MaxxECU										Suecia	
Mini	4	4	8	4	Si	No	1	Si	No		$655
Street	6	6	12	4	Si	No	2	Si	No		$849
Sport	6	6	16	9	Si	Si	4	Si	No		$1,220
Race	8	8	20	15	Si	Si	4	Si	No		$1,419
Pro	16	12	46	30	Si	Si	4	Si	No		$2,265
ECUMaster										Polonia	
EMU Classic	6	6	21	10	Si	No	4	Si	No		$899
EMU Black	8	6	24	8	Si	Si	4	Si	No		$1,099
MoTeC										Australia	
M130	8	8	21	6	Si	Si	4	Si	No		$2,395
M150	12	12	45	10	Si	Si	4	Si	No		$3,095
M170	8	8	21	6	Si	Si	4	Si	No		$3,745
M190	12	12	45	16	Si	Si	4	Si	No		$5,295
M122	4	4	21	6	Si	Si	4	Si	Si		$2,895
M141	8	8	45	10	Si	Si	4	Si	Si		$3,995
M181	12	12	45	10	Si	Si	4	Si	Si		$5,795
Syvecs										Inglaterra	
S7i	16	6	19	18	Si	Si	4	Parcial	No		$2,899
S7+	16	6	22	30	Si	Si	4	Parcial	No		$3,538
S-GDI4	4	4	24	24	Si	Si	4	Parcial	Si		$3,650
S8	16	8	24	28	Si	Si	4	Parcial	No		$4,115
S12	24	12	36	50	Si	Si	4	Parcial	No		$5,488

Nombre	Canales de Inyeccion	Canales de Ignicion	Entradas	Salidas	Two Step/ Launch	Throttle Electronico	VVT	CANBUS?	GDI?	Diseñado en	Precio (USD/ MSRP)
SCS-Delta										Inglaterra	
400s	6	4	8	5	Si	No	4	Parcial	No		$1,129
700s	6	6	26	15	Si	Si	4	Parcial	No		$1,368
900s	12	8	34	28	Si	Si	4	Parcial	No		$1,699
GDI6	4	4	27	12	Si	Si	4	Parcial	Si		$1,699
Octtane										Brazil	
L1	2	4	9	4	Si	No	No	Parcial	No		$338
T1	2	4	9	4	Si	No	No	Parcial	No		$446
T2	6	6	8	10	Si	No	2	Parcial	No		$565
T2S	6	6	8	10	Si	Si	2	Parcial	No		$680
RaceTec										Argentina	
R750	4**	4**	9	4	Si	No	No	No	No		$426
R1000	4	4	9	4	Si	No	No	No	No		$571
MicroTech										Australia	
LT-9c	4	4	8	5	No	No	No	Parcial	No		$795
LT-10c	4	4	8	5	No	No	No	Parcial	No		$1,095
LT-16c	8	8	6	4	No	No	No	Parcial	No		$1,295
LT-32c	16	8	16	2	No	No	No	Parcial	No		$2,495
LIfe Racing										Inglaterra	
F88R	8	6	24	12	Si	Si	4	Parcial	No		1923.75
F88	8	8	24	12	Si	Si	4	Parcial	No		3915
F90RX	24	12	28	26	Si	Si	4	Parcial	Si		5393.25
F90A	24	12	28	26	Si	Si	4	Parcial	Si		7148.25
F90F	24	12	56	30	Si	Si	4	Parcial	Si		9348.75
Adaptronic										Australia	
M1200	4	4	19	7	Si	No	2	Parcial	No		$855
M2000	8	8	23	4	Si	No	4	Parcial	No		$1,350
M6000	8	8	23	6	Si	Si	4	Parcial	No		$1,450
Emtron											
SL4	4	4	21	11	Si	Si	4	Parcial	No		$1,785
SL6	6	6	21	11	Si	Si	4	Parcial	No		$1,870
SL8	8	8	21	11	Si	Si	4	Parcial	No		$2,082
KV8	8	8	33	18	Si	Si	4	Parcial	No		$2,677
KV12	12	12	33	18	Si	Si	4	Parcial	No		$3,145
KV16	16	16	33	18	Si	Si	4	Parcial	No		$3,570
Holley										USA	

Nombre	Canales de Inyeccion	Canales de Ignicion	Entradas	Salidas	Two Step/ Launch	Throttle Electronico	VVT	CANBUS?	GDI?	Diseñado en	Precio (USD/ MSRP)
Terminator X	8	8	4	4	Si	Si	No	Parcial	No		$1,124
Dominator	12	8	50	36	Si	Si	No	Parcial	No		$2,445
HP	8	8	4	4	Si	No	No	Parcial	No		$1,505
FAST										USA	
XFI Street	8	8	12	10	Si	No	No	Parcial	No		$973
XFI Sportsman	8	8	12	10	Si	Si	No	Parcial	No		$1,698
XFI 2.0	16	8	14	12	Si	Si	No	Parcial	No		$2,326
FiTech										USA	
Solo para V8	8	8	10	8	Si	No	No	Parcial	No		$869
WolfEMS										Australia	
V4X	4	4	6	6	No	No	No	Parcial	No		$1,499
Street	8	8	16	20	No	Si	No	Parcial	No		$2,387
Sport	8	8	16	20	Si	Si	No	Parcial	No		$2,920
ProEFI										USA	
Pro70WA	6	6	25	20	No	Si	4	Parcial	No		$1,095
Pro112	8	8	34	20	Si	Si	4	Parcial	No		$1,498
Pro128	12	16	34	12	Si	Si	4	Parcial	No		$2,149
Spitronics										Sudafrica	
Mercury2	8	8	9	4	Si	No	No	No	No		248
Orion2	4	4	8	2	Si	No	No	No	No		217
Bosch Motorsports										Alemania	
MS6	12	12	21	20	Si	Si	4	Si	No		3520
MS7.4	8	8	42	59	Si	Si	4	Si	No		11492.55